# APPRENTIS LECTEURS
## SCIENCES

# LES
# ASTRONAUTES

**Carmen Bredeson**
Texte français de Claude Cossette

*Éditions*
**SCHOLASTIC**

Conception graphique : Herman Adler Design

Recherche de photos : Caroline Anderson

Sur la photo de la couverture, on voit l'astronaute Michael Lopez-Alegria travaillant à la Station spatiale internationale.

Catalogage avant publication de la
Bibliothèque nationale du Canada

Bredeson, Carmen
Les astronautes / Carmen Bredeson;
texte français de Claude Cossette.

(Apprentis lecteurs. Sciences)
Traduction de : Astronauts.
Pour les 5-8 ans.
Comprend un index.
ISBN 0-439-95834-2

1. Astronautes--Ouvrages pour la jeunesse.
I. Cossette, Claude II. Titre. III. Collection.

TL793.B729314 2005    j629.45'0092'2
C2004-906946-2

Édition publiée par les Éditions Scholastic, 175 Hillmount Road, Markham (Ontario) L6C 1Z7.

5 4 3 2 1    Imprimé au Canada    05 06 07 08

Les astronautes sont des hommes
et des femmes qui voyagent
dans l'espace.

Les premiers astronautes ont
voyagé à bord de capsules
spatiales. Les capsules sont
de petits vaisseaux spatiaux.

Une seule personne pouvait
voyager dans ces petits vaisseaux.

Aujourd'hui, les astronautes
voyagent à bord de la navette
spatiale.

# Huit personnes peuvent loger dans la navette.

Les astronautes se préparent pendant plus d'un an avant d'effectuer un vol. Ils doivent apprendre à faire des tâches spéciales.

Le commandant est le chef
du vol. C'est lui qui conduit
la navette. Le commandant
veille aussi à la sécurité
de l'équipage.

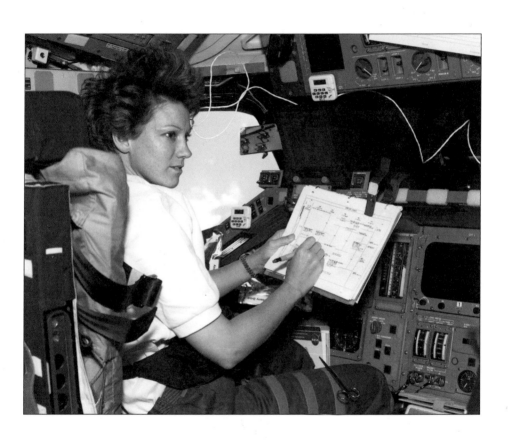

11

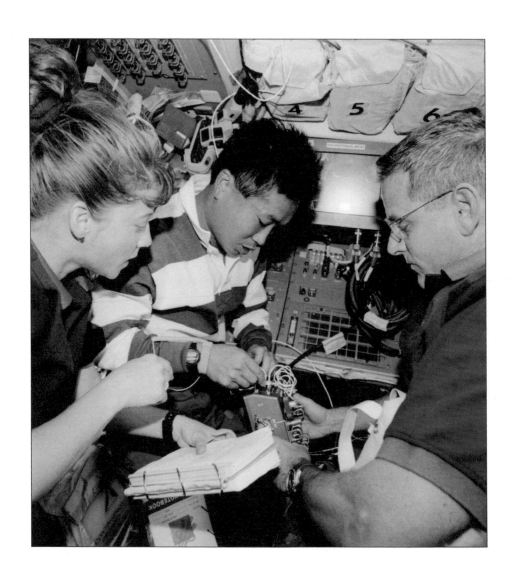

12

L'équipage passe des mois à apprendre comment fonctionne la navette.

Qu'est-ce qui arrive si quelque chose tombe en panne dans l'espace? Les astronautes doivent savoir comment faire la réparation.

Les astronautes font des travaux scientifiques pendant le vol. Certains étudient comment les plantes poussent dans l'espace.

15

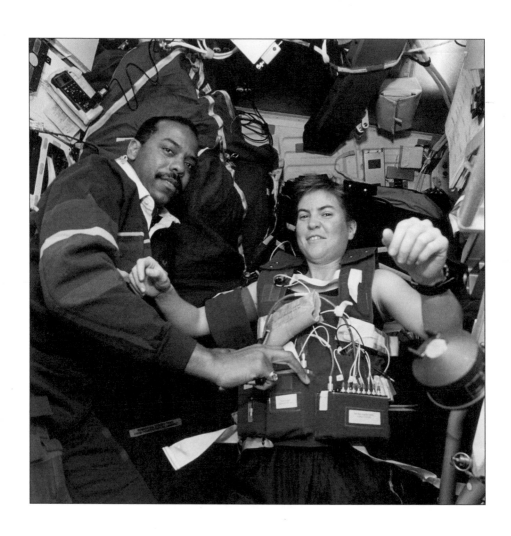

16

Quelquefois, un des astronautes est médecin et il fait des tests sur l'équipage. Il veut comprendre ce qui se passe dans le corps des astronautes quand ils sont dans l'espace.

Les astronautes sortent de la navette pour aller se promener dans l'espace. Ils mettent de grosses combinaisons spatiales pour travailler dans l'espace.

Beaucoup d'astronautes sont
des scientifiques. Ils doivent avoir
des diplômes universitaires.

Ils doivent aussi être en très bonne santé.

Aimerais-tu être un astronaute?
Travaille fort à l'école.

Fais de l'exercice et mange de
bons aliments pour renforcer
ton corps.

Aujourd'hui, il y a quelque chose de nouveau dans l'espace : la Station spatiale internationale.

Il faudra beaucoup d'années
pour construire toute la Station.

On aura besoin d'un grand nombre
d'astronautes pour faire ce travail.

Tu seras peut-être un astronaute.

Est-ce que tu vas travailler sur
la Station spatiale?

Est-ce que tu seras la première
personne à marcher sur Mars?

# Les mots que tu connais

astronaute                    commandant

Station spatiale internationale

capsule spatiale　　　navette spatiale

combinaison spatiale

# Index

# Crédits-photos